# LA VENTANA
# DE KENNY

# LA VENTANA DE KENNY

Escrito e ilustrado por *Maurice Sendak*

*Traducción de Miguel Azaola*

kalandraka

Título original: *Kenny's Window*

Colección libros para soñar•

Copyright © 1956, Maurice Sendak, copyright renewed 1984 by Maurice Sendak
Publicado con el acuerdo de HarperCollins Children's Books, una división de HarperCollins Publishers
© de la traducción: Miguel Azaola, 2017
© de esta edición: Kalandraka Editora, 2017
Rúa de Pastor Díaz, n.º 1, 4.º A - 36001 Pontevedra
Tel.: 986 860 276
editora@kalandraka.com
www.kalandraka.com

Impreso en Gráficas Anduriña, Poio
Primera edición: marzo, 2017
ISBN: 978-84-8464-245-9
DL: PO 36-2017

MIXTO
Papel procedente de
fuentes responsables
FSC® C104983
www.fsc.org

A MIS PADRES

Y A URSULA

Y A BERT SLAFF

# LA VENTANA
# DE KENNY

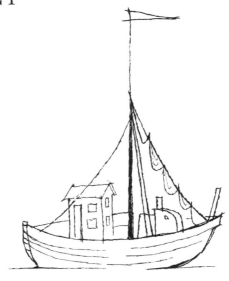

Kenny se despertó en mitad de un sueño. Y recordó un jardín.

«En mi sueño he visto un jardín –pensó Kenny– y un árbol.»

Era un árbol cubierto de flores blancas. Y sobre el árbol brillaban a la vez el sol y la luna. La mitad del jardín estaba llena de mañana amarilla y la otra mitad, de noche verde oscuro.

«En mi sueño había algo más», pensó Kenny, y trató de recordar.

–¡Un tren! –gritó–. Y un gallo con cuatro patas. ¡Y me dio algo!

Era un tren que cruzaba el jardín entre nubes de humo, y en el furgón de cola viajaba un gallo con cuatro patas que le dio un trozo de papel.

–Aquí hay siete preguntas –dijo el gallo–, y tienes que encontrar todas las respuestas.

–Si lo hago –preguntó Kenny–, ¿puedo venir a vivir al jardín?

Pero antes de que el gallo pudiera contestar, el sueño terminó.

Kenny se sentó en el borde de su cama y pensó en el sueño.

«Sería estupendo vivir en un jardín así. Por la mañana podría sentarme en la parte del jardín donde es de noche y contar las estrellas, y por la noche podría jugar en la mitad del jardín donde es por la mañana y nunca tendría que irme a la cama. Encontraré las respuestas a las siete preguntas y...»

–¡Las preguntas! ¡Me las he dejado en el sueño! –Kenny gritó y cerró los ojos. «Volveré –se dijo– y las encontraré.»

Se tumbó, volviéndose sobre un costado, y algo crujió en el bolsillo de su pijama. Era un trozo de papel. Kenny se lo sacó del bolsillo.

–Las siete preguntas –susurró–. Las he tenido conmigo todo el tiempo.

–Voy a hacer un dibujo en mi pizarra –dijo Kenny una mañana–, y lo llamaré Un Sueño.

Buscó un trozo de tiza amarilla y empezó a dibujar.

–¡No! –gritó una voz airada–. Hoy no puedes dibujar en la pizarra.

–¿Por qué no? –preguntó Kenny.

–¡Porque no! –dijo la voz.

Kenny miró debajo de la cama y vio a su oso de peluche, sentado en la oscuridad.

–¿Pero qué haces ahí debajo, Bucky?

Bucky era el mejor y más viejo amigo de Kenny. Dormía con él todas las noches y solo tenía un ojo de cristal.

–Me has dejado aquí toda la noche –dijo Bucky.

–Me he debido de olvidar –dijo Kenny–. Lo siento.

–Antes nunca te olvidabas –gruñó Bucky.

–¿Quieres salir ahora –preguntó Kenny– y ver cómo hago un dibujo?

–¡NO! –dijo Bucky–. No voy a salir y tú no puedes hacer ningún dibujo.

–¡Me da IGUAL! –gritó Kenny, y tiró la tiza contra el suelo con todas sus fuerzas. Se partió en veinte trocitos amarillos.

Kenny caminó lentamente hacia la ventana, arrastrando los pies sobre el suelo.

–¿Cuál es el problema? –preguntó uno de los soldados de plomo que había en el alféizar de la ventana–. ¿Ya está Bucky con sus numeritos de siempre?

–La noche pasada –dijo Kenny– se me olvidó llevármelo a la cama conmigo.

–¿Está muy enfadado? –preguntó el segundo soldado de plomo.

A Kenny empezó a temblarle el labio.

–Ni siquiera me deja hacer un dibujo en la pizarra.

–No te preocupes –dijo el segundo soldado de plomo–. Pensaremos algo.

Kenny los miró expectante.

–¡Tengo una idea! –exclamó el primer soldado de plomo–. Escríbele un poema sobre lo estupendo que es.

–¡Bien! –dijo Kenny, que fue a por papel y lápiz y se puso a pensar.

–¿Cómo se escribe un poema? –preguntó.

–Piensas en una palabra bonita –dijo el primer soldado de plomo– y la haces rimar con un montón de otras palabras bonitas hasta que llegas al final.

–¿Como *oso* y *miedoso*? –preguntó Kenny.

–Eso no resulta muy agradable.

Así que Kenny pensó unas cuantas más y, después de mucho tachar y borrar, terminó el poema. Les dijo «muchas gracias» a los soldados y volvió con Bucky.

Metió la cabeza bajo la cama y se puso a leer:

*Bucky es mi oso querido.*
*Su pelo es suave y mullido*
*y viaja siempre conmigo.*
*Perdió un ojo en un descuido,*
*pero es mi mejor amigo.*
*Fin, Kenny.*

Bucky no dijo una palabra, pero Kenny supo que todo estaba ya bien. Sacó a Bucky con cuidado de debajo de la cama y lo recostó sobre la almohada. Luego lo abrigó con una manta.

–Mírame, Bucky –susurró Kenny, y caminó hacia la pizarra levantando mucho su pie izquierdo.

Recogió un trozo de tiza amarilla e hizo un dibujo de Bucky cabalgando sobre un gallo con cuatro patas. Kenny se volvió hacia Bucky y le dijo:

–¿Sabes lo que le estás diciendo al gallo?

Bucky no contestó.

–Le dices –siguió Kenny–: «Gallo, ¿puedes darme un paseo montado en ti? Lo digo porque tienes cuatro patas y puedes correr muy rápido», y el gallo te contesta: «Claro, Bucky, y mientras estés sobre mi espalda y yo vaya corriendo como el viento, me podrás contar historias que solo tú sabes».

Bucky parecía estar dormido, pero Kenny sabía que le había oído palabra por palabra.

Kenny dejó una nota sobre la mesa de la cocina. Decía: «*Qerida* mamá, me *voi* a Suiza. *Bolveré* pronto. Kenny». Los valles de Suiza estaban hasta arriba de flores silvestres y las cumbres de las montañas asomaban entre la niebla. Kenny compró un billete y tomó asiento en el trenecito que subía directamente por la ladera de una montaña.

–¡Miren! –dijo un hombre gordo, señalando hacia fuera de la ventanilla–. ¡Una cascada!

Todos miraron y dijeron cosas como de sorpresa y sacaron fotografías, clic-clic. Pero Kenny no miró. Esperó.

–Mira, mamá –dijo una niñita de pelo amarillo–. ¡Nieve!

–¡Ah! –dijo todo el mundo. Clic-clic.

«La nieve es muy bonita –pensó Kenny–, pero no es lo que he venido a ver.»

Y no miró.

Cuando el trenecito llegó a lo más alto de la montaña, Kenny compró una barra de chocolate y salió a buscar una cabra. Se quedó de pie en un pequeño prado nevado y se asomó al valle lleno de bruma. Escuchó resonar en las paredes montañosas, cubiertas de espesa hierba, el eco de un tañido lejano de campanas.

«Es precioso –pensó Kenny–, pero –suspiró– son solo los cencerros de las vacas, y lo que yo busco es una cabra.»

Kenny descendió con cuidado por la montaña, y al pasar fue reuniendo un ramillete de flores silvestres: bugallas amarillas, gencianas azules y sonrosadas rosas de montaña. El camino se hizo menos empinado y el aire tenía un fuerte olor a animales. Kenny arrugó la nariz. Pronto llegó a una aldea que solo tenía cuatro casas y gran cantidad de barro.

–Mi cabra no podría vivir aquí –dijo Kenny, hundiendo la nariz en el ramillete de flores.

Estaba ya a punto de dar media vuelta cuando, desde detrás de una de las casas, surgió un pequeño animal de barba blanca.

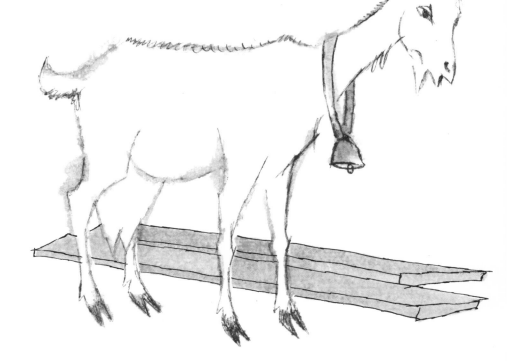

–¡Una cabra! –exclamó Kenny, y arregló el ramillete de flores silvestres para que quedara lo más bonito posible.

Luego se atusó el pelo, se colocó bien la corbata y se quitó algo de barro de sus zapatos marrones nuevos. La cabra blanca miraba a Kenny, mientras su pequeña quijada se movía de un lado a otro como si estuviese mascando algo de hierba.

Kenny se puso firme, lo más tieso que pudo, y dijo en voz bien alta:

–He venido desde la lejana América para hacer de ti mi cabra única.

La cabra blanca se le acercó mirando fijamente el ramillete de flores que Kenny tenía en la mano.

–Son para ti –dijo Kenny, y le ofreció las flores a la cabra para que las oliera.

–Mis flores favoritas –dijo la cabra blanca–. Gracias. Y mordisqueó las bugallas amarillas–. ¿Qué es una cabra única? –preguntó.

–Una cabra única –dijo Kenny– es la cabra a la que quiero.

–¿Cuánto me quieres? –preguntó la cabra.

–Te quiero más que a la cascada –dijo Kenny– y que a las montañas nevadas, incluso más que a los cencerros de las vacas.

–Ah –suspiró la cabra blanca, y engulló las gencianas azules.

–¿Cuando dejarás de quererme? –preguntó. Trocitos de genciana le salpicaban la barba blanca.

–¡Nunca! –dijo Kenny

La cabra olisqueó las sonrosadas rosas de montaña.

–¿Me darás de comer bugallas amarillas, gencianas azules y sonrosadas rosas de montaña en América?

–No –respondió Kenny–, pero en el jardín de mi casa hay ranúnculos y margaritas amarillas.

–¿Podré ponerme en la cima de una montaña en América y escuchar los cencerros de las vacas?

–No –contestó Kenny–, pero podrás sentarte en el tejado de mi casa y escuchar los bocinazos de los automóviles cuando pasan a toda prisa.

–¿Podré tumbarme en el barro en América?

–No –respondió Kenny–, mi cabra tiene que estar guapa y limpia y llevar una campanilla de plata colgada al cuello.

La cabra blanca miró a Kenny con tristeza.

–Una cabra única es una cabra solitaria –dijo.

–Pero jugaremos los dos juntos –protestó Kenny– y nos contaremos historias divertidas el uno al otro.

–No conozco ninguna historia divertida –dijo la cabra blanca.

–¿Ni una siquiera?

–No –dijo la cabra.

–Pues quizá... –empezó a decir Kenny.

–¿Quizá qué? –preguntó la cabra blanca.

–Quizá no seas tú mi cabra única –terminó Kenny, entristecido.

–Eso es cierto –dijo ella, mascando la última rosa–. Has cometido un error.

Kenny sacó de su bolsillo la barra de chocolate.

–Esto es para ti –dijo.

–Mi dulce favorito –dijo la cabra, zampándose la barra de un solo mordisco–. Espero que encuentres tu cabra única.

–Gracias –dijo Kenny, y volvió a subir a la montaña.

Compró un billete y se sentó en el trenecito que bajaba directamente por la ladera de la montaña.

Al ver por la ventanilla la preciosa nieve blanca, el corazón le latió más rápido. Vio la gran cascada despeñándose y se sintió lleno de nostalgia por volver a casa. Cuando el tren llegó a la estación, Kenny mandó un telegrama. Decía:

«Querida mamá – vuelvo a casa – tu hijo único – Kenny».

—Hay un caballo en el tejado —dijo Kenny al despertarse en plena noche—, pero no se lo diré a papá ni a mamá. Dirían que es un sueño, o qué disparate, o algo por el estilo y, naturalmente, no subirían a verlo con sus propios ojos.

»El caballo del tejado es un caballo hambriento, porque ya no queda hierba en el prado. No se comerá las tejas de pizarra porque los caballos no comen tejas de pizarra. No me comerá a mí porque yo soy su amigo. A lo mejor le apetecería mi coche de bomberos, o mi libro de indios grandes y chicos, pero no creo. Creo que le gustaría comerse a mi primo Harry, pero está en casa de la abuela y su hermana Bárbara llora demasiado.

»El caballo del tejado es un caballo solitario, porque es de noche y por eso ha venido a nuestra casa a sentarse en el tejado. Hace mucho ruido, pero nadie puede oírlo.

»Y está mirando a las estrellas. Las estrellas dan una luz que te permite ver, y está pateando sobre el tejado y le sale vapor de las narices. Está bailando en el tejado y las estrellas lo iluminan por completo. Patea y resuella sobre el tejado y también relincha. Las estrellas lo hacen brillar y parece de terciopelo.

»El caballo del tejado se ríe porque se sabe una historia divertida. Me hace reír a mí. Me cuenta la historia divertida y yo le cuento a él otra. El caballo del tejado me hace una mueca y yo le hago otra a él.

»Dice: "Tengo que irme ya a casa. Es muy tarde". "¿Y cuándo volverás?", le pregunto. Y me contesta: "Siempre que tú quieras".

»El caballo del tejado ha vuelto al prado donde ya no queda hierba. No se lo diré a mamá ni a papá. Dirían que es un sueño. Ellos no saben escuchar la noche.

# 4. ¿Puede repararse una promesa rota?

En el alféizar de la ventana de Kenny había dos solda-dos de plomo. Era de noche y estaba nevando.

–¿Está dormido Kenny? –preguntó el primer soldado de plomo.

–Sí –dijo el segundo, y empezaron ambos a susurrar en-tre ellos. Pero Kenny no estaba dormido, y esto es lo que escuchó:

–Fuguémonos –dijo el primero.

–¿Adónde? –preguntó el segundo.

–Ahí –dijo el primero, mirando fuera de la ventana.

–Eso es el mundo –dijo el segundo–. Y tiene muchas millas de largo. Nos perderemos.

–Los soldados no pueden perderse –replicó el primero.

–¿Estás enfadado con Kenny? –preguntó el segundo.

–¿No había prometido que cuidaría siempre de noso-tros? –preguntó el primero.

–Sí –contestó el segundo.

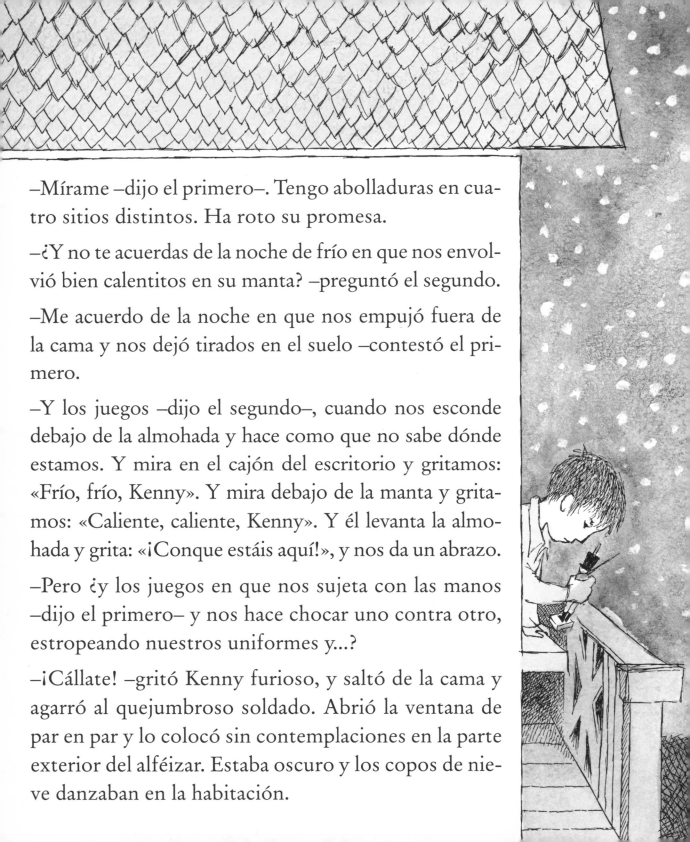

–Mírame –dijo el primero–. Tengo abolladuras en cuatro sitios distintos. Ha roto su promesa.

–¿Y no te acuerdas de la noche de frío en que nos envolvió bien calentitos en su manta? –preguntó el segundo.

–Me acuerdo de la noche en que nos empujó fuera de la cama y nos dejó tirados en el suelo –contestó el primero.

–Y los juegos –dijo el segundo–, cuando nos esconde debajo de la almohada y hace como que no sabe dónde estamos. Y mira en el cajón del escritorio y gritamos: «Frío, frío, Kenny». Y mira debajo de la manta y gritamos: «Caliente, caliente, Kenny». Y él levanta la almohada y grita: «¡Conque estáis aquí!», y nos da un abrazo.

–Pero ¿y los juegos en que nos sujeta con las manos –dijo el primero– y nos hace chocar uno contra otro, estropeando nuestros uniformes y...?

–¡Cállate! –gritó Kenny furioso, y saltó de la cama y agarró al quejumbroso soldado. Abrió la ventana de par en par y lo colocó sin contemplaciones en la parte exterior del alféizar. Estaba oscuro y los copos de nieve danzaban en la habitación.

–¡Mal soldado! –gritó Kenny, y cerró de golpe la ventana–. Nunca incumplí mi promesa –sollozó–. ¡Has mentido!

La nieve se arremolinaba en torno al soldado.

–Va a pillar un resfriado –dijo el segundo soldado de plomo.

–¿Y por qué no da golpes en el cristal para que le deje entrar? –preguntó Kenny.

–Tiene su orgullo –dijo el soldado–. Y la nieve casi lo ha tapado del todo.

–Entonces estará caliente.

–Es posible.

–¿Se lo preguntamos? –preguntó Kenny.

–Sí –respondió el soldado.

Kenny abrió la ventana un poquito y susurró:

–¿Tienes mucho frío?

La voz del soldado parecía venir de muy lejos y era triste.

–Me estoy congelando bajo este manto de nieve.

–Di que lo sientes –susurró Kenny– y te meto dentro.

No hubo respuesta. Un copo de nieve se posó suavemente sobre la cara del soldado y terminó de ocultarlo del todo.

–A lo mejor está muerto –murmuró el soldado que Kenny llevaba en la mano.

Kenny metió rápidamente los dedos en la nieve y sacó al soldado. Estaba rígido. Kenny volvió a meterse en la cama y colocó a los dos soldados sobre la almohada, junto a su cara, con el congelado en el medio. Lo calentó con su aliento y revivió enseguida.

–Te quiero –dijo Kenny–. Te lo prometo.

–Una vez prometiste –dijo el primer soldado de plomo– que siempre nos cuidarías.

–Cumplí mi promesa –contestó Kenny.

–¿También cuando nos agarraste y nos hiciste chocar el uno contra el otro? –preguntó el soldado.

–Sí –dijo Kenny, y acarició tristemente con el dedo las cuatro abolladuras.

–¿Siempre? –preguntó el soldado.

–Siempre –susurró Kenny–. Lo prometí para siempre.

El cuarto estaba en silencio. Sonaba el tic-tac de un reloj.

–Mira –dijo el primer soldado–. Ya no nieva.

–Escucha –dijo el segundo soldado–. Ya no hace viento.

–Fijaos –dijo Kenny–. Ha salido la luna detrás de las nubes.

Y al aparecer las estrellas, las fueron contando una por una hasta que se quedaron dormidos.

Una mañana, Kenny estuvo a punto de caerse de la cama.

–¿Se puede saber qué haces? –le preguntó su perra Baby.

–Estaba a punto de caerme de la cama –dijo Kenny–, pero me lo he impedido justo a tiempo.

–¡Pues te has librado de una BUENA! –dijo Baby.

–¿Qué es librarse de una buena? –preguntó Kenny.

–Estar a punto de caerte de la cama –contesto Baby.

–A veces –dijo Kenny– aguanto la respiración todo el rato que puedo para ver qué se siente. ¿Eso también es librarse de una buena?

–Pues ten cuidado –dijo Baby– si quieres librarte de una buena.

–¿Te has librado tú alguna vez de una buena? –preguntó Kenny.

–Sí –dijo Baby, y se estremeció al recordarlo.

–¿Qué pasó? –preguntó Kenny excitado.

Baby se acurrucó en el regazo de Kenny.

–Durante una tarde entera –susurró– fingí ser un elefante. Pero no pude dormir porque era demasiado grande y no cabía debajo de tu cama. Y no pude comer porque a los elefantes no les gustan las hamburguesas. Y no pude masticar mi hueso favorito porque mi larga nariz lo impedía constantemente. Y, sobre todo, me daba miedo que dejaras de quererme. Pensaba: «Kenny puede tenerle muchísimo cariño a una perrita, pero ¿tendrá tanto cariño como para querer a un elefante?».

–Pobre Baby –dijo Kenny bajito, y le acarició el lomo.

–Así que al acercarse la hora de la cena –siguió Baby– dejé de fingir. Y justo a tiempo, porque tenía un hambre... ¿Y sabes lo que me dije a mí misma?

–¡Sí! –gritó Kenny–. Dijiste: «¡Pues me he librado de una BUENA!».

–Exacto –contestó Baby, y con tanta charla y tanta caricia en el lomo, se quedó dormida en el regazo de Kenny.

6. ¿Qué mira hacia dentro
y qué mira hacia fuera?

Estaba nevando y Kenny miraba cómo los grandes copos se derretían contra su ventana y descendían por el cristal convertidos en gotas tristes y alargadas.

«Mi ventana está llorando», pensó Kenny. Ladeó la cabeza y miró al cielo. «Es curioso que si miro allá arriba la nieve parece sucia, y si miro aquí abajo, parece limpia.»

–¿Por qué hará eso? –preguntó en voz alta, pero no le contestó nadie.

Baby estaba acurrucada al pie de la cama de Kenny. Bucky se había hecho un ovillo bajo las mantas y los dos soldados de plomo contemplaban con aire solemne la nieve que caía fuera de la ventana.

–¿Por qué no hacemos algo? –propuso Kenny.

Tampoco esta vez hubo respuesta.

–¿POR QUÉ NO HACEMOS ALGO? –gritó.

La voz de Bucky surgió soñolienta de debajo de la manta.

–¿Como qué? –preguntó.

–Como una fiesta –dijo Kenny.

–Un día de nieve es un día de modorra –dijo Baby, y dio un gran bostezo.

–Haremos que sea el día de celebrar una fiesta –dijo Kenny, y corrió a su armario, sacó su tablero de ajedrez y lo colocó sobre la manta–. Esta va a ser la mesa –decidió.

–Y nosotros somos los invitados –masculló Bucky.

–Estos son los invitados –proclamó Kenny, y agarró a los dos soldados de plomo y los colocó a un lado del tablero de ajedrez.

–¿No hay damas invitadas? –preguntó Bucky.

–Aquí hay una –dijo Kenny, y sacó a Baby de debajo de la cama y la sentó al otro lado del tablero. Baby volvió inmediatamente a acurrucarse y siguió durmiendo.

–¿Qué vamos a comer? –preguntó el primer soldado de plomo.

–¡A Bucky! –dijo Kenny riendo, y puso al osito tendido en medio del tablero.

–No me gusta la carne de oso –dijo el segundo soldado.

–Vale –dijo Kenny, y sentó a Bucky junto a Baby–. Sé un invitado entonces.

–Gracias –dijo Bucky–. ¿Y tú qué serás?

–Yo soy el que manda en la fiesta –dijo Kenny–. ¡Y QUIERO ORDEN!

Y descargó un puñetazo en el tablero y la cama dio un respingo. Todos los invitados se cayeron.

En ese momento, el sol se abrió paso entre las nubes.

–¡Mirad! –exclamó Kenny–. Ha salido el sol y aún sigue nevando.

Kenny agarró a Bucky y a los dos soldados de plomo y corrió a la ventana. La abrió de par en par y respiró hondo.

–Huele a invierno –dijo el primer soldado–, pero distinto.

–Huele a invierno que se deshiela –dijo el segundo.

–Huele suave –murmuró Kenny.

–A primavera –dijo Bucky.

Kenny se asomó a la ventana y miró a los niños que perseguían a los copos de nieve en su danza.

–¡No podréis atrapar un copo de nieve! –gritó Kenny–. Solo son pizcas de agua.

Al otro lado de la calle, se abrió la ventana de una casa y se asomó un hombre con una niñita pequeña en brazos.

–Mira –le dijo el hombre, señalando con el dedo–. Mira qué bonitos copos de nieve.

Pero la niñita solo se reía y apretaba un dedo contra la boca del hombre. Y el hombre besó el pequeño dedo. Kenny también quiso que la niñita viera la nieve.

–¡Mira hacia fuera de la ventana! –gritó–. ¡Hacia fuera!

Pero la niñita solo miraba la cara del hombre.

Un niño llegó al pie de la ventana de Kenny y le llamó:

–¡Kenny! ¡KENNY!

–Es mi amigo David –dijo Kenny– y tengo que irme.

Se puso la chaqueta y se dirigió a la puerta.

–Un momento –dijo–. Se me olvidaba.

Corrió de nuevo hacia la ventana, recogió a Bucky y a los dos soldados de plomo y volvió a colocarlos en torno al tablero de ajedrez. Baby abrió un ojo y golpeó la almohada con la cola.

–Que lo paséis bien –les susurró Kenny a sus invitados.

–¡Kenny! –llamó David.

–¡Ya voy! –gritó Kenny, y corrió escaleras abajo, saltando los escalones de dos en dos.

En el cuarto, los invitados guardaron silencio y se miraron entre sí por encima del tablero de ajedrez, sin saber qué decir.

7. ¿Siempre quiere uno
lo que uno cree que quiere?

Aquella era la noche. La luminosa noche de luna que Kenny había estado esperando. Aunque estaba solo, no se sentía solo. Y la gran luna llena amarilla llenaba su cuarto de una luz tan clara como la mañana.

Aquella era la noche que él presentía como el anuncio de un gran viaje, un viaje escalofriante, emocionante y distinto.

«Esta noche –pensó Kenny–, todas las preguntas del sueño tendrán respuesta.»

Recordaba el sueño.

«Había un jardín con la luna a un lado y el sol al otro, y un árbol. Todo era blanco. Y un gallo con cuatro patas me dio siete preguntas para que las contestara.»

Kenny tenía las respuestas a seis de las preguntas, pero no sabía la de la séptima.

«¿Siempre quiere uno lo que uno cree que quiere?»

Kenny pensó en las cosas que quería.

«Quisiera un caballo con el que pudiera cabalgar y dar toda la vuelta a la manzana, incluso llegar hasta el mar. O un barco con un camarote más, para llevarme conmigo a algún amigo. O un...»

Entonces Kenny oyó un ruido. Era suave, como si cayera nieve de pronto. Y lejano, como una voz en un sueño. Miró por la ventana y vio fuera, sentado en el alféizar, al gallo de las cuatro patas. Estaba sonriendo y llamaba a Kenny haciéndole gestos. Le estaba diciendo algo. Kenny saltó de la cama y corrió a la ventana. Tiró con todas sus fuerzas y la abrió de par en par.

–¿Puedes hacer un dibujo en la pizarra cuando alguien no quiere que lo hagas? –le preguntó enseguida el gallo.

–Sí –contestó Kenny–, si le escribes un bonito poema.

–¿Qué es una cabra única?

–Una cabra solitaria –respondió Kenny.

El gallo cerró un ojo y miró a Kenny.

–¿Puedes ver un caballo en el tejado? –preguntó.

–Sí, si sabes cómo escuchar la noche –repuso Kenny.

–¿Puede repararse una promesa rota?

–Sí –dijo Kenny–, si solo parece rota, pero en realidad no lo está.

El gallo encogió la cabeza entre las plumas y susurró:

–¿Qué es librarse de una buena?

–Cuando alguien casi deja de quererte –le contestó Kenny con otro susurro.

El gallo se movió a saltitos sobre tres patas por el alféizar.

–¿Qué mira hacia dentro y qué mira hacia fuera?

–Mi ventana –dijo Kenny.

–Y la última pregunta –dijo el gallo–. ¿Siempre quiere uno lo que uno cree que quiere?

Kenny se quedó pensando todo lo que pudo.

–Creo que no lo sé –dijo con tristeza.

–Piensa con fuerza –dijo el gallo.

Kenny pensó con fuerza y de pronto sonrió.

–Ya sé –dijo.

–¿Qué? –preguntó el gallo, impaciente.

–Creí que quería vivir en el jardín que tiene la luna a un lado y el sol al otro, pero en realidad no.

–¡Has contestado todas las preguntas! –exclamó el gallo–. Así que puedo darte lo que quieras.

–Quisiera –dijo Kenny despacio–, quisiera tener un caballo, y un barco con un camarote más para un amigo.

–Puedes tenerlos –dijo el gallo.

–¿Cuándo? –gritó Kenny– ¿Dónde están?

–Ahí –dijo el gallo señalando a la ventana.

Kenny aplastó la nariz contra el cristal.

–¿Al otro lado de la calle? –preguntó.

–Más allá –contestó el gallo.

Kenny se puso de puntillas.

–No puedo ver más allá –se lamentó.

El gallo saltó al hombro de Kenny.

–Yo los veo –susurró–, detrás de las casas, pasado el puente, cerca de una montaña a la orilla del mar.

–Eso es demasiado lejos –dijo Kenny, y miró hacia otro lado.

–Pero si estás a medio camino –dijo el gallo.

Los ojos de Kenny se dilataron en la oscuridad.

–¿Y cómo he llegado tan lejos? –preguntó.

–Has expresado un deseo –dijo el gallo–, y con un deseo

recorres la mitad del trayecto hasta donde quieres llegar.

Kenny apoyó la cabeza en el marco de la ventana y pensó en un lustroso caballo negro y en un barco pintado de blanco.

—Ya es casi de día —dijo el gallo—. Tengo que irme.

Y extendió las alas y se elevó en el cielo.

—Adiós, Kenny.

Kenny vio cómo el gallo se desvanecía poco a poco entre las luces danzarinas de la ciudad.

—Adiós —murmuró.

Kenny escuchó los sonidos de la ciudad que le llegaban a través de la ventana. Eran como las canciones que él mismo inventaba cuando se sentía contento. Cerró los ojos y los sonidos se convirtieron en una canción que hablaba de un caballo cuyas narices despedían vapor y de cuyos cascos saltaban chispas.

Kenny se quedó dormido con la cabeza apoyada en el alféizar de la ventana. Y la canción se convirtió en un sueño en el que había un caballo. Kenny cabalgaba sobre un lustroso caballo negro. Pasaban al galope ante las casas y la gente les contemplaba y les aplaudía desde las ventanas. Galopaban por el mundo entero y llegaban hasta el mar. Y en la orilla del mar había un barco pintado de blanco, y tenía un camarote más para un amigo.